PAUL FOURNEL

Superchat
et
les karatéchats

Illustrations de
Alexandra Poulot

ARC EN POCHE/NATHAN

Collection dirigée par Isabelle Jan

1

Hold-up chez Charlot

– Que personne ne bouge! hurla Fred le Raisonneur. Il empoigna Charlot et le plaça devant lui comme un bouclier. Lentement, il recula jusqu'au soupirail.

Un silence pesant tomba sur l'assemblée. Tous les chats qui étaient dans la cave du poissonnier où Charlot distribuait les restes de son maître demeurèrent pétrifiés.

Fred fit un signe à ses deux complices.

– Allez, les gars, servez-vous!

Loulou Cicatrice et Bob l'Ahuri se précipitèrent sur les poissons qui jonchaient le sol.

En quelques coups de patte, Bob remplit un énorme sac en toile de maquereaux, de harengs et de soles.

Loulou, se sentant en position de force, laissa le travail à son frère et en profita pour aller narguer les chats pétrifiés. Il venait se planter devant eux et sortait ses griffes terriblement acérées. Ses griffes étaient sa passion et dès qu'il avait un instant – ce qui lui arrivait souvent – il le consacrait à les aiguiser et à les polir. Ses griffes étaient célèbres dans tout le quartier. Chaque fois qu'il les sortait de leur gaine protectrice, un vif éclat de lumière les faisait luire et un frisson passait dans l'assemblée des chats. Loulou, qui adorait les frissons, souriait de plaisir en remontant ses moustaches et en découvrant ses crocs.

Lorsque le sac fut plein à ras bord, Bob s'accroupit pour le placer sur son dos. Le sac était si lourd qu'il ne put même pas le décoller du sol. Il se redressa et commença paisiblement à dévorer son contenu pour l'alléger un peu.

Entre les griffes de Fred, Charlot tremblait de peur.

« Les frères Marlou ! pensa Minouchat qui se comportait un peu comme le chef des chats du quartier. Ces voyous ne sont donc pas guéris[1] ! Comment faire pour les maîtriser sans mettre Charlot en danger ? ».

Les trois Marlou étaient de dangereux individus, sournois, violents, méchants, voraces, mais pas assez intelligents pour travailler à leur compte. Ils étaient à la solde du tout puissant Vilmatou, le plus gras, le plus gros, le plus glouton, le plus affamé et le plus rassasié de tous les chats. Le seul qui possédait tout et voulait plus encore. Les trois Marlou exécutaient toutes les basses besognes qu'il

---

1. Voir *Superchat contre Vilmatou,* dans la même collection.

leur commandait et lui n'était, ainsi, jamais inquiété. Mais la bonne entente ne régnait pas toujours dans le trio. A force de se contenter des restes de Vilmatou, les Marlou avaient très souvent des rancœurs... surtout lorsqu'il s'agissait de nourriture.

Après avoir effleuré de ses griffes la splendide moustache de Maminette, Loulou Cicatrice se retourna brusquement. Il vit son cadet qui s'empiffrait.

– Fred! cria-t-il à son frère aîné, regarde Bob, il n'arrête pas de manger, c'est pas juste!

– Suffit, Loulou! On n'est pas là pour se chamailler.

Fred serra un peu plus fort Charlot contre lui et lança sèchement :

– Bob! Ferme ce sac!

Minouchat voulut profiter de cette dispute pour passer à l'action. Il jeta un coup d'œil rapide autour de lui. Tous ses amis étaient là et ils ne le laisseraient pas tomber. A huit et en agissant très vite, ils devraient parvenir à maîtriser les Marlou sans mettre Charlot en danger. Il décida de s'occuper de Fred, sûr que Minetchou saurait s'occuper de Bob.

Il s'accroupit, sortit ses griffes, banda ses muscles, et se lança de toutes ses forces sur Fred en hurlant :

– A l'attaque !

Queue tendue, il traversa la cave d'un seul bond.

Ses griffes n'étaient plus qu'à quelques centimètres de sa proie et sa gueule était déjà ouverte pour mordre, lorsque Loulou réagit.

Comme un gardien de but, il plongea et bloqua au vol la queue de Minouchat.

Zoom !

Whaa !

Splash !

Minouchat s'aplatit sur le sol en terre battue de la cave. Il se retourna vivement et empoigna sa queue à deux pattes. De toute son énergie il tira dessus pour la libérer. Loulou dut la laisser filer et il se retrouva avec une touffe de poils entre les doigts. Ses yeux brillaient de rage.

Fred le Raisonneur s'avança, la griffe posée sur la tempe de Charlot.

– Pas de plaisanterie, Minouchat, sinon il va arriver malheur à ton ami le poissonnier.

Personne ne voulait qu'il arrive malheur à Charlot. C'était un gros chat tigré qui débordait de gentillesse et qui ne manquait jamais de ramasser dans les poubelles de son patron le poissonnier tout ce qui pouvait régaler ses amis. Dans les pattes de Fred, il était blanc de terreur, ses dents claquaient et son regard suppliait ses amis de ne rien tenter pour le libérer.

Minouchat, tenant encore sa queue à deux pattes, fit signe aux autres de rester tranquilles.

Loulou et Bob chargèrent les sacs sur leurs

épaules, allèrent ouvrir le soupirail et Fred
sortit à reculons en tenant toujours Charlot
devant lui.

– N'ayez crainte, vous aurez bientôt de nos

nouvelles et vous pourrez commencer à ramasser tout ce que vous possédez pour payer la rançon.

Sur cette terrible menace, les trois Marlou disparurent, entraînant leur butin et leur otage.

Un immense soupir de soulagement salua leur départ puis, brusquement, les langues se délièrent. Tous voulaient parler à la fois.

– On aurait dû attaquer tous ensemble, disait Minouchat, personne ne m'a suivi!

– J'ai eu peur, disait Matougros, un gros chat noir.

– Tu es le roi des poltrons, c'est connu.

– Vous avez vu cet air menaçant?

– Vous croyez qu'ils vont manger Charlot?

– Je pense que c'est Vilmatou qui a organisé le coup.

– Tu aurais vu, si Fred n'avait pas tenu Charlot, je les assommais tous les trois, expliquait le bouillant Minetchou à la ravissante Maminette, un direct du droit pour Fred, un coup de tête pour Loulou. Et je te les attachais tous les trois par la queue comme Superchat!

– Est-ce que vous avez vu les griffes de Loulou Cicatrice quand il m'a retenu par la queue? Terribles! Je suis sûr que je vais garder des marques! Regardez ma pauvre queue, elle est tout épluchée.

– Vous croyez qu'on aura assez pour la rançon?

– Et qui va trouver le poisson pendant que Charlot sera retenu en otage?

Une incroyable agitation régnait dans la cave, quelques-uns en profitaient même pour manger les poissons tombés à terre. Minouchat monta sur une caisse et les fit tous taire. Il adorait faire des discours.

– Suffit, maintenant. Ne touchez à rien. Il n'y a pas de temps à perdre. Notre ami

Charlot est en danger. Vous allez rentrer chez vous pour dîner, puis nous nous retrouverons tous au terrain vague vers 9 heures. Avant que nous nous séparions, je vais faire pour vous le point détaillé de la situation...

Sa queue meurtrie dans la patte gauche, il se mit en position d'orateur.

« Il est grand temps de partir », se dit Matougros, le plus tranquille et le plus dodu des chats.

Il se glissa subrepticement vers le soupirail et se faufila sur le trottoir.

« Avec cette sale manie de faire sans arrêt le point de la situation, Minouchat risque bien de nous faire rater l'heure du dîner. »

Les repas étaient la chose la plus importante de la vie de Matougros. Mlle Marthe, sa maîtresse, les lui préparait avec soin, et chaque jour il se régalait avec application. Bien sûr, il n'avait plus la ligne racée d'un jeune chat, bien sûr il ne ressemblait que de très loin au beau Minetchou, mais son plaisir de manger était tel qu'il ne pouvait résister. Son ventre s'était sérieusement arrondi depuis quelques mois et ses pattes n'étaient plus tout à fait aussi fines, mais, comme il avait coutume de dire : « Avec ma belle fourrure noire, ça ne se remarque pas trop. »

Il frissonna dans le froid du soir.

Il avait plu presque tout le jour et la pluie ne s'était interrompue qu'avec la nuit. Les trottoirs étaient déserts et les reflets des quelques fenêtres allumées faisaient luire le goudron mouillé.

Matougros pressa un peu le pas et décida de passer par le square pour rentrer plus vite à la maison. Les enfants étaient couchés depuis longtemps ; il ne risquait plus rien.

2

Du travail pour Superchat

A moitié endormi par le plaisir de rentrer chez lui, Matougros fait crisser le sable du square sous ses pattes. Il essaie de toutes ses forces de penser à une solution pour sauver son ami Charlot. Il échafaude des plans, il imagine des combines, il se demande à qui il pourrait bien demander de l'aide... mais chaque fois il perd le fil de ses idées. Il a honte. Chaque fois qu'il commence à trouver le commencement du début d'une solution, une petite pensée vient troubler son raisonnement et lui fait perdre le fil de la construction. Il pense que c'est vendredi et que le vendredi est le jour du poisson au lait, mais il a aussitôt honte de penser à cela. Il pense aussi qu'après le poisson au lait, il adore se coucher sur le radiateur pendant une petite heure mais que ce soir il ne pourra pas, à cause de la réunion, et il a encore plus honte de penser cela.

Charlot est son meilleur ami et il voudrait de toutes ses forces le sauver... Il fait un effort pour se concentrer à nouveau. Il pense à Vilmatou, aux Marlou, mais chaque fois qu'il imagine un piège compliqué, que voit-il au fond du piège ? Une belle assiette de poisson au lait préparée par Mlle Marthe ! Il se tape le dos à grands coups de queue pour se punir, mais rien n'y fait.

Soudain une voix mystérieuse sort de l'obscurité.

– Bonsoir, Matougros.

Matougros la reconnaît aussitôt, cette voix. Elle est splendidissime, magnifiquissime,

somptueuse, veloutée et unique. C'est celle de
Chattemerline, la fée des chats. Il s'attarderait
volontiers pour l'écouter un peu, mais il sait
que cette voix-là ne lui apporte jamais de très
bonnes nouvelles. Chaque fois qu'il a des
ennuis, la fée des chats vient le trouver pour

lui donner du travail... Il se souvient comme si c'était hier de ce soir où elle est descendue du ciel sur un escalier transparent pour lui confier sa première mission... Il s'enfonce la queue dans l'oreille gauche et la patte avant droite dans l'oreille droite et accélère l'allure en boitillant. Lorsqu'il arrive à hauteur du théâtre Guignol, il court presque.

Une force magique lui retire la queue de l'oreille et la voix se fait entendre à nouveau.

– Allons, Matougros, ne cours pas comme ça. Sois gentil. Tu vas t'asseoir sagement sur un des bancs du théâtre et m'attendre. J'arrive.

« Je suis cuit », pense-t-il en obéissant.

Il choisit une place à peu près sèche au premier rang et s'assied.

Quelques secondes plus tard, le rideau rouge du théâtre Guignol s'illumine et une douce musique envahit le square. Le rideau s'ouvre.

La plus belle des chattes apparaît. Elle a de longs poils roses dans lesquels brillent des éclats de strass sous la lumière vive des projecteurs. Ses grands yeux légèrement maquillés clignent doucement. Elle tient un micro à la main et sourit.

Matougros est pétrifié.

D'un geste élégant elle écarte le fil de son micro magique et elle se met à chanter :

> *Je suis Chattemerline*
> *La diva, la divine,*
> *Je descends droit du ciel,*
> *Somptueuse, irréelle.*
> *Tu es le chat élu,*
> *C'est moi qui t'ai voulu,*
> *Tu sauveras les tiens*
> *Et vaincras le chafouin.*
> *Je suis Chattemerline,*
> *La diva, la divine,*
> *Je suis la fée des chats*
> *Et tu es Superchat.*

Matougros la dévore des yeux.

« Quelle beauté! pense-t-il, elle est encore plus charmante que Maminette et pourtant Maminette... »

Elle danse doucement et va et vient sur la petite scène.

Sa chanson terminée, elle s'approche de la rampe, s'assied en croisant les pattes et se penche vers lui.

– Alors, cher Matougros, aurais-tu oublié la mission que je t'ai confiée? Le grand conseil des chats t'a choisi pour être Superchat et t'a donné des pouvoirs magiques. Tu dois à tout prix être à la hauteur de ta mission... Ce n'est pas bien de fuir au moment où tes amis ont besoin de toi. Tu es le seul à pouvoir sauver Charlot.

– Pourquoi est-ce toujours moi qui suis Superchat? C'est pénible à la fin.

– C'est un immense honneur, Matougros.

– C'est bien fatigant aussi.

– Allons, Matougros, n'exagère pas. Tu sais que tes pouvoirs sont énormes dès que tu enfiles ton costume magique... Tu vas rentrer chez toi, sortir la petite musette qui est sous le meuble de la salle de bain, ton habit est dedans, et tu iras à la réunion de ce soir sans tarder. Ta mission sera peut-être longue et difficile, mais montre-toi courageux. Et surtout ! N'oublie pas : personne ne doit savoir que tu es Superchat. Tu perdrais aussi-tôt tous tes pouvoirs magiques !

Elle se penche encore un peu, tire sur son micro magique qui se transforme en baguette télescopique avec une étoile rouge au bout, et tape un petit coup sur la tête de Matougros. Il cligne des yeux. Elle pose un baiser sur son front et se redresse. Elle écarte le fil de son micro et reprend sa chanson en reculant peu à peu vers le fond de la scène.

Je suis Chattemerline
La diva, la divine.
Je descends droit du ciel,
Somptueuse, irréelle...

« Elle m'a embrassé, pense Matougros, elle m'a embrassé ! »

Tu es le chat élu,
C'est moi qui t'ai voulu,
Tu sauveras les tiens
Et vaincras le chafouin.
Je suis Chattemerline,
La diva, la divine,
Je suis la fée des chats
Et tu es Superchat.

Peu à peu, la lumière des projecteurs devient bleue, une pluie d'or tombe des cintres et Chattemerline, souriante, disparaît. Les rideaux se referment et Matougros se retrouve solitaire dans l'obscurité silencieuse du square.

Déjà fatigué, il rentre chez Mlle Marthe. Pour se donner du courage dans le noir, il fredonne la chanson de Chattemerline.

Il franchit la haie, en deux bonds il traverse le jardin et hop ! saute par la petite fenêtre de la salle de bain.

Il se glisse sous le placard et sort la musette couleur de miel marquée d'un S d'argent. Il l'ouvre : le costume de Superchat est là.

« Avant tout, se dit-il, prenons des forces. Allons manger. »

Il pousse la porte avec son museau et file jusqu'à la cuisine. Mlle Marthe l'attend.

3

Réunion générale

D'un coup de langue, Matougros avale les dernières gouttes de lait qui perlent sur les poils de sa moustache. Il jette un regard attendri sur Mlle Marthe, se frotte un peu contre son mollet gauche, plus par habitude que par réelle envie, s'étire et fait mine d'aller s'étendre un moment sur le radiateur du salon.

En réalité, il tourne dans le couloir et va droit à la salle de bain. A tout hasard, il prend sa musette et sort par la petite fenêtre.

La pluie s'est remise à tomber. La nuit est si noire qu'il lui suffit de baisser un peu la tête pour masquer sa tache blanche et se rendre totalement invisible. Il se sent lourd. Sans doute a-t-il un peu trop mangé. La pluie le glace. Il rase les murs, profite du moindre abri et une fois de plus peste contre cette sale manie de faire des réunions nocturnes.

« C'est une honte, se dit-il, on aurait bien pu prendre des décisions sur-le-champ, chez Charlot... »

Le terrain vague donne sur une petite rue un peu à l'écart, faiblement éclairée par de rares réverbères. Il s'étend derrière une longue palissade maculée d'affiches à demi arrachées. Par manie plus que par besoin, Matougros compte les planches.

« Vingt-deux, vingt-trois, vingt-quatre... C'est ici. »

La vingt-quatrième planche est disjointe et il suffit de la pousser pour entrer dans le terrain vague.

Tous étaient déjà là, sagement assis en rond

autour de Minouchat qui parlait et qui, bien entendu, n'avait rien d'intéressant à dire.

– L'essentiel, répétait-il pour la douzième fois, est d'attendre que les ravisseurs se manifestent...

Matougros haussa les épaules, s'approcha et vint prendre sa place dans le cercle.

– C'est à cette heure que tu arrives ? gronda Minouchat, trop content d'avoir une bonne occasion de faire voir son autorité. Ce n'est pas bien.

Matougros haussa les épaules une seconde fois.

La ravissante Maminette, qui était assise à côté de lui, confirma en battant doucement des cils.

– C'est vrai, Matougros, ce n'est pas bien.

Elle enroula délicatement la queue autour de ses pattes et releva la tête en une moue de désapprobation.

S'il n'avait pas eu tous ces poils noirs sur la figure, Matougros aurait rougi.

Au moment où Minouchat reprenait sa respiration pour se lancer dans une nouvelle tirade, la planche de la palissade grinça.

Comme un seul chat, toute l'assemblée fit face. D'abord, les chats ne virent qu'un bout de chiffon blanc mouillé, noué à l'extrémité d'une queue qui s'agitait faiblement dans la pénombre du réverbère, puis il virent luire deux yeux verts, et ils découvrirent enfin Bob l'Ahuri, le plus jeune et le plus bête des Marlou, tremblant de froid et de terreur. Lorsqu'il était seul, il se montrait beaucoup moins agressif.

– Je ne vous veux pas de mal, répétait-il, je ne vous veux pas de mal !

– Que veux-tu, alors ?

– C'est Vilmatou qui m'envoie, ajouta-t-il en claquant des dents.

– Et que demande-t-il ?

– Il m'a dit de vous dire que Charlot est vivant et qu'il exige un sac de maquereaux frais pour sa libération.

Un ouf de soulagement passa dans l'assistance.

– Je n'y suis pour rien, reprit Bob, ce n'est pas moi qui ai eu l'idée...

– Tu en es incapable, de toute façon, lança sentencieusement Minouchat en croisant ses pattes sur sa poitrine.

– Il est très très ahuri, confirma Maminette en s'abritant des rafales de pluie derrière Matougros.

– As-tu autre chose à nous dire, Bob ?

– Oui. Vilmatou veut que ce soit le plus gros, le plus bête et le plus inoffensif d'entre vous qui vienne apporter la rançon.

Tous les regards se posèrent sur Matougros, qui, honteux, baissa la tête.

– File, voyou ! lança Minetchou à Bob en esquissant une attaque.

Bob disparut à la vitesse grand V, avec le chiffon au bout de la queue. Minouchat s'approcha de Matougros.

– Allons, Matougros, ne fais pas grise mine, ce qu'il a dit est faux, archifaux, mais nous voulons tous que tu ailles apporter la rançon parce que tu es le plus sage d'entre nous. N'est-ce pas, les chats?

– Oui, oui, confirmèrent distraitement quelques voix.

Ravis de ne pas être de corvée, ils filaient déjà tous se mettre à l'abri.

Matougros et Minouchat, ne voulant pas perdre une minute de plus, allèrent aussitôt chez Charlot chercher le poisson.

Minouchat plaça le sac sur l'épaule de son ami.

– C'est lourd, mais ça ira.

– Avec ce que les Marlou ont déjà emporté, il ne restera plus aucune réserve dans la cave de Charlot.

– Mais il sera là.

– Tiens, donne-moi ta musette, je te la rendrai demain.

– Non, non, je la garde, elle ne me gêne pas !

– Tu es sûr ?

– Oui, oui.

– C'est une drôle de manie que tu as de trimballer cette musette... Je me suis toujours demandé pourquoi il y avait un S dessus.

– Moi aussi.

– Eh bien, bonne chance, Matougros. Je ne t'attends pas ?

– Non, rentre te coucher, je reviendrai avec Charlot et tout ira bien.

– A demain.

Minouchat regarda quelques instants la sombre silhouette de Matougros s'enfoncer dans la nuit, puis se décida à rentrer. Il n'avait pas volé un peu de repos.

4

Mission nocturne

Matougros arriva devant le soupirail des Marlou, posa le sac à terre et appela. Après quelques secondes, Bob l'Ahuri vint lui ouvrir et le fit entrer. Il régnait dans l'antre des frères Marlou un désordre indescriptible. Des arêtes de poissons jonchaient le sol et de vieilles boîtes de conserves étaient empilées sur des caisses. Dans un coin, Fred le Raisonneur digérait, à demi assoupi, dans l'autre, Loulou Cicatrice aiguisait ses redoutables griffes en rotant.

Fred ouvrit un œil.

– Ah ! Te voilà.

– Oui, le voilà, confirma Bob. J'ai bien regardé dans la rue, il est venu tout seul.

– Tu as vérifié le contenu du sac ?

– Oui. Ils sont frais. Tu veux voir ?

– Non, pas ce soir, je suis un peu barbouillé.

Loulou rentra et sortit ses griffes deux ou trois fois et ajouta :

– De toute façon et comme d'habitude, c'est tout pour Vilmatou, ce sac-là. C'est lui qui a eu l'idée.

– Il m'a promis les arêtes et les queues, dit fièrement Bob.

– A partager en trois, n'oublie pas !

– Il me les a promises à moi.

– Je vais te faire voir, s'il te les a promises à toi !

Loulou se lança sur son frère et ils roulèrent tous deux sur le sol.

Après un moment, Matougros intervint.

– Excusez-moi, mais je voudrais bien récupérer Charlot. Vous continuerez après... Il commence à se faire tard.

– Tu as raison, père tranquille, dit Bob en se levant. Venez, les gars, allons lui chercher son Charlot. Tu nous attends sagement ici, nous descendons tous les trois, il est ficelé comme une saucisse et il faut le porter.

Dès qu'ils eurent disparu dans l'escalier de la cave, Matougros s'activa. Il ouvrit sa musette et enfila son costume de Superchat.

Il plaça soigneusement le loup argenté sur son visage, lança la cape bleu électrique sur ses épaules et l'agrafa avec le petit S de diamants qui sert de broche, puis il rentra le ventre.

C'était toujours le moment le plus pénible. La ceinture magique était un peu petite et il avait du mal à la fermer.

Il s'y reprit à deux fois et parvint tout de même à la boucler.

« Ouf ! »

Il ferma les yeux et gonfla la poitrine, la tache blanche entre ses pattes se transforma doucement en un beau S lumineux.

Il eut à peine le temps de prononcer la formule magique « A toi, à moi ! Superchat ! » que les Marlou remontèrent.

Trop occupés à transporter le pauvre Charlot, ils ne firent pas attention à lui tout d'abord.

– Attention, tu me coinces contre le mur.

– Je le fais pas exprès, il est trop lourd.

– Dépêchez-vous.

– Pousse pas, derrière ! Je vais rater la marche !

Puis Bob leva la tête et, pétrifié, laissa tomber le pauvre Charlot.

– Fais attention, maladroit, tu vas l'abîmer.

– Allez, dépêche-toi, ramasse-le.

– Mais qu'est-ce que tu as à rester piqué ainsi ?

– On dirait qu'il a vu une apparition !

Fred et Loulou éclatèrent de rire, mais leur rire s'étrangla dans leurs gorges dès qu'ils levèrent la tête.

– Bonsoir, dit calmement Superchat en faisant un pas vers eux.

– Super...

– Su...

– Au secours !

Bob fit aussitôt demi-tour dans l'escalier.

Zoom !

En un éclair, Superchat le rattrapa et le remonta par la peau du cou.

– Soyez raisonnables. Je cours plus vite que vous, je tape plus fort, je saute plus loin, je mords plus dur et je vole plus haut.

– Tu n'as pas beaucoup de peine, lança Charlot avec un sourire.

Loulou Cicatrice, qui a gardé un très cuisant souvenir (surtout vers la queue) de son dernier duel avec Superchat, préfère se

dégonfler. Il tombe à genoux et se lance dans de grands gémissements.

– Pitié ! Superchat ! Tu es le plus beau, le plus malin, le plus puissant. Aie pitié de nous, ne nous arrache par les poils de la queue... Si tu veux, je me les arracherai tout seul, regarde... Ne nous fais pas de mal, c'est Vilmatou qui organise tout, nous ne sommes que des instruments. Je vais détacher Charlot, si tu veux.

Il se tord la queue, se noue les pattes, essaie d'embrasser les pieds de Superchat...

– C'est ça, détache Charlot, mais la prochaine fois que tu joues la comédie devant moi, essaie d'être un peu plus sobre, ça ira mieux.

Dans son coin, Bob l'Ahuri, qui n'est pas particulièrement vif d'esprit, on le sait, se creuse les méninges. Ses gros yeux verts tournent comme des billes et la peau de son front se plisse sous l'effort. Comme chaque fois qu'il est songeur, il se mordille le bout de la queue.

– Je n'y comprends rien, se dit-il. Quand on est descendu pour aller chercher Charlot, il y avait Matougros, et quand on est remonté, il y avait Superchat.

A cet instant, Charlot, libéré, vient s'asseoir derrière Superchat pour se faire une petite toilette et remettre ses poils en place.

– Où est donc passé Matougros ? demande-t-il entre deux coups de langue.

– Je l'ai renvoyé se coucher, je n'avais plus besoin de lui ici, répond Superchat.

– Il devait être content de rentrer !

– Oui, il était très fatigué. Tu es prêt ?

– Presque...

Loulou, qui se traînait toujours lamentablement par terre, profitait de chaque gémissement pour se rapprocher de Superchat. Lorsqu'il fut à quelques centimètres de lui, il sortit discrètement ses griffes pointues comme des aiguilles et coupantes comme des lames de rasoir. Elles renvoyèrent leur habituel éclat de lumière et l'œil de Superchat tressaillit.

Loulou bondit.

Il planta ses griffes dans les pattes de Superchat et ouvrit la gueule pour mordre. Il ne la referma pas. Un cri de douleur jaillit de sa gorge.

– Mon oreille !

Superchat, vif comme l'éclair, lui tirebouchonnait l'oreille gauche et le soulevait lentement de terre. Le traître lâcha prise et ferma les yeux, prêt aux pires catastrophes.

De sa patte libre, Superchat le prit par la queue. Il lui lâcha l'oreille et le laissa pendre, lamentable, la tête en bas. Loulou battait de ses quatre pattes dans le vide et hurlait les pires injures. Superchat, calme et splendide, ne bronchait pas. Il se tourna vers les deux frères.

– Alors, Fred, qu'est-ce que tu attends ? Tu ne veux pas te battre ? Et toi Bob ? Tu ne viens pas au secours de ton frère ?

Bob avança d'un pas. Fred l'arrêta aussitôt.

– Tu as gagné, Superchat ! Pars avec Charlot et laisse-nous en paix.

– Tiens, voilà ton frère, dit Superchat en lâchant Loulou.

Charlot chargea le sac de poissons sur son dos. Superchat fit se retourner les trois Marlou contre le mur et noua leurs queues ensemble. Cette sage habitude lui avait déjà bien souvent évité d'être poursuivi.

Lorsqu'ils furent seuls dans l'obscurité de la rue, Superchat dut se retenir de prendre son ami dans ses bras. Il était heureux de le retrouver, mais il se rappela la consigne de Chattemerline... rien de devait laisser penser qu'il était Matougros.

Ils s'éloignèrent tous deux en bavardant.

Charlot, admiratif et reconnaissant, l'interrogea sur ses goûts et lui demanda quel poisson lui donnait autant de force et d'énergie... Il accumula une petite masse de renseignements qui ne manqueraient pas de passionner ses clients pendant les prochains jours.

Lorsqu'ils arrivèrent devant le soupirail, Superchat souhaita bonne nuit à Charlot.

– Merci encore ! lui dit Charlot en disparaissant.

Alors, Superchat prononça la formule magique et s'envola.

Bras en arrière, moustaches plaquées par le vent, oreilles rabattues, il monta dans le ciel noir, laissant derrière lui une traînée de poussière lumineuse.

5

Conseil de guerre

Fred le Raisonneur se retourna.

– Ils sont partis, dit-il.

– Ouf !

Les trois frères reprirent leur respiration.

– On l'a échappé belle !

– J'ai mal à la queue, se plaignit Bob.

– Qu'est-ce que je devrais dire ! s'écria Loulou. Regardez-moi un peu, j'ai l'air malin avec cette oreille qui tombe comme une oreille de cocker. Elle est toute rouge.

– Le plus dur reste à faire.

– Comment ça « le plus dur » ?

– Il faut aller prévenir Vilmatou de notre brillante réussite.

– C'est à toi d'y aller !

– Et pourquoi ce serait à moi ?

– Parce que c'était moi l'autre fois !

– Oui, mais l'autre fois, c'était pas pareil.

– Taisez-vous ! coupa Fred. De toute façon, nous sommes obligés d'y aller tous les trois.

– Et pourquoi, s'il te plaît ?

– Tout simplement parce que nous sommes attachés par la queue et que nous ne pouvons pas nous détacher nous-mêmes.

Tant bien que mal, les frères Marlou se traînèrent jusque chez Vilmatou.

Fred frappa trois fois sur la petite porte du soupirail, qui s'ouvrit aussitôt.

Ils entrèrent. La cave était plongée dans l'obscurité et seul un maigre soupirail en éclairait le fond.

Vilmatou luisait faiblement dans sa belle

fourrure rayée en long. Il était couché sur un des gros tuyaux du chauffage central.

Il posa sur les trois frères un regard dur.

– Ce n'est pas la peine de m'expliquer, leur dit-il, j'ai tout compris. Matougros n'est pas venu tout seul, Superchat était caché derrière son dos, et vous vous êtes laissé avoir comme des petits débutants, parce que vous êtes bêtes !

Il se leva et s'approcha doucement.

– Vous êtes tous les trois bêtes à manger du foin. Et parce que vous êtes bêtes à manger du foin, vous ne mangerez que du foin pendant une semaine.

– Oui, Vilmatou, que du foin.

– Oui, oui, Vilmatou, du foin avec du foin.

– C'est très bon, le foin.

Il donna une pichenette dans l'oreille pendante de Loulou Cicatrice.

– Il ne te manquait plus que ça ! Tu es joli avec cette oreille molle.

– Oui, très joli, Vilmatou.

– Excuse-moi, Vilmatou, si je te demande pardon, osa dire doucement Fred, est-ce que tu ne pourrais pas par hasard avoir la bonté de nous dénouer, s'il te plaît ?

Sans dire un mot, Vilmatou les dénoua.

Ils se massèrent soigneusement la queue. Vilmatou, perplexe, faisait les cent pas au fond de la cave. Après un long silence, il vint se placer devant eux.

– Puisque vous êtes des incapables, je vais changer de personnel. Je vais demander de l'aide à mon ami Miaou-Li.

– Miaou-Li ! s'écrièrent en chœur les Marlou en reculant.

Miaou-Li était un chat siamois qui écumait un quartier voisin. Terrible, méchant, batailleur, il était devenu très puissant et très laid à force de bagarres, et la simple vue de son ombre plongeait tout le monde dans la pire terreur. L'atroce Vilmatou, lui-même, lorsqu'il avait eu affaire à lui dans le passé, n'avait pas toujours eu le dessus. Depuis longtemps déjà, ils avaient renoncé à s'affronter et ils se partageaient le territoire. En règle générale, ils préféraient s'ignorer mais, quand les événements l'exigeaient, ils se rendaient de menus services...

– Vous allez rester ici et attendre, sans bouger. Dès que je reviendrai, vous vous mettrez au service de celui ou de ceux qui viendront faire *votre* travail. Compris ?

– Compris, Vilmatou.

– Où mets-tu le foin ? demanda Bob. J'ai une petite faim.

Vilmatou haussa les épaules et sortit.

Sous les premières gouttes de pluie glacées, il frissonna. Encore sous l'empire de la colère, il allongea le pas, puis se mit à courir. Il traversa l'avenue et le square, prit la petite ruelle derrière le terrain vague. Il ralentit l'allure. Il ne voulait pas arriver chez Miaou-Li essoufflé. Il respira profondément à deux ou trois reprises, déplaça un carton plein de détritus et découvrit un soupirail.

Il frappa deux coups très doux puis trois coups plus forts. Après une minute, la porte métallique du soupirail grinça et une tête apparut. L'inconnu dévisagea Vilmatou et le laissa entrer. Sans rien dire, il s'enfonça dans l'obscurité. Vilmatou le suivit dans un dédale de couloirs et de caves obscurs jusqu'à une vaste pièce confortable et bien chauffée. Dans un coin, étendu sur une pile de sacs, les yeux mi-clos, Miaou-Li le regardait approcher. Il ne marqua aucune surprise. Lorsque Vilmatou fut à sa portée, il sourit.

Vilmatou eut un haut-le-cœur. Il lui fallait chaque fois un moment pour s'habituer à son visage.

Miaou-Li s'inclina.

– Bonjour, exécrable Miaou-Li lança Vilmatou en s'inclinant à son tour.

– Bonjour, très exécrable Vilmatou.

– Comment allez-vous, épouvantable Miaou-Li ?

– Et vous, très épouvantable Vilmatou ?

– Je vais mal, odieux Miaou-Li.

– Puis-je vous aider, très odieux Vilmatou ?

– Sans doute, sans doute. Je voudrais du personnel très qualifié pour me débarrasser au plus vite d'un gêneur.

– Ce n'est que cela, très atroce Vilmatou ?

– Ce n'est que cela.

– Les très ignobles frères Marlou ne sont-ils plus à votre service ?

– Toujours, toujours, mais ils commettent parfois de légères maladresses et l'affaire est très délicate.

– Qui aura le délicieux privilège d'être la victime ?

– Superchat.

Il y eut un silence, puis Miaou-Li reprit, avec un grand calme apparent :

– Le très honorable Superchat est une future victime bien délicate.

– Je le sais et c'est pour cela que je suis venu vous voir, très odieux Miaou-Li.

Miaou-Li, pour cacher son embarras, fit le gros dos, s'étira, dressa la queue, s'assit, se gratta derrière l'oreille droite, se passa quelques coups de langue sur le flanc gauche, s'étira à nouveau... Après un long moment de réflexion pendant lequel Vilmatou ne bougea pas d'un poil, il annonça d'un voix sèche :

– Je pense avoir ce qu'il vous faut, très odieux confrère.

Un éclair de satisfaction passa dans les yeux de Vilmatou.

– Ne vous réjouissez pas trop vite pourtant. Je suis sûr de mes hommes, mais j'entends bien être payé de retour.

– Votre prix sera le mien, très exécrable.

– Je veux Maminette.

Vilmatou eut un pincement au cœur.

Maminette était la plus belle des chattes et

chacun espérait secrètement ête l'élu de son cœur. Il ne s'attendait pas à cette exigence, mais il n'en laissa rien voir. Superchat devait disparaître – et à n'importe quel prix.

– Vous aurez Maminette...

– Et je la veux quelques heures avant le règlement définitif de l'affaire Superchat. Vous me la ferez livrer par vos hommes.

– C'est entendu.

En signe d'accord, les deux chats se serrèrent la patte, bien décidés, s'ils le pouvaient, à ne pas tenir leurs engagements.

– Puis-je connaître la méthode que vous avez choisie pour éliminer Superchat, odieux Miaou-Li ?

– Pas de méthode ! Des chats !

Il frappa deux fois sur le tuyau du chauffage central et, quelques secondes plus tard, trois siamois entrèrent.

Ils se postèrent côte à côte, poings en avant, et attendirent.

– Les karatéchats ! annonça Miaou-Li.

Vilmatou avait rarement vu trio plus menaçant. Il était composé de deux chats longilignes au regard bleu acier et, entre eux, d'une sorte de siamois nain, minuscule et fluet, qui avait l'air d'être toujours prêt à bondir.

– Banzaï ! hurlèrent-ils en chœur.

Vilmatou sursauta. Avec un parfait ensemble, ils se lancèrent dans un étrange ballet de coups de poing, de coups de patte et de coups coups de queue dans le vide. Ils ponctuaient chaque geste d'un petit cri rauque et agressif.

Vilmatou recula.

– N'ayez crainte, Vilmatou, ils savent retenir leurs coups ; leurs poings et leurs pieds s'arrêteront comme par magie à quelques centimètres de votre museau. Regardez-les, ils sont parfaitement entraînés, pas un pouce de graisse, pas l'ombre d'une faiblesse. Trois magnifiques machines à taper.

– Très impressionnant, en effet. Je pense

que ce sont les combattants qu'il me faut. Superchat ne leur résistera pas.

Les karatéchats interrompirent leur démonstration et vinrent s'incliner devant Miaou-Li.

– Très puissants karatéchats, leur dit-il, vous devez désormais obéir au très odieux Vilmatou, jusqu'à l'achèvement de votre mission.

– Ce sera selon ta volonté, très monstrueux Miaou-Li, répondirent-ils en chœur.

Ils s'inclinèrent devant leur nouveau maître.

– Ne perdez plus une minute, maintenant, dit Miaou-Li en les raccompagnant... Et n'oubliez pas votre promesse, Vilmatou !

– Soyez sans crainte, horrible Miaou-Li.

Sans se retourner, Vilmatou s'enfonça dans l'impasse, ses trois sinistres et silencieux compères sur les talons.

6

Menace et filature

Fidèles à leur devise « Aide-toi et Super-chat t'aidera », les chats s'entraînaient, comme chaque matin, au terrain vague. Sous la haute et autoritaire direction de Minouchat, ils soignaient leurs réflexes et leur condition physique. Après une bonne séance de gymnastique, ils passaient aux exercices pratiques.

A l'aide d'une catapulte posée au niveau du sol, Minouchat lançait dans une direction indéterminée une boîte de Ron-Ron et cha-

cun à son tour devait l'intercepter d'un seul
bond. Rien n'est meilleur pour former l'attention et la détente et, en période de souris
rares, c'était le seul moyen de ne pas céder à
la torpeur. Minetchou excellait à tous ces
jeux et Minouchat ne cessait de le compli-
menter. Il venait de réussir un splendide 8 sur
8 au « lance Ron-Ron » et son bonheur eût
été parfait si la belle Maminette avait pu
assister à son triomphe. Mais la belle s'appli-
quait sans doute à faire la grasse matinée, car
elle n'avait pas montré le plus petit bout de sa
moustache.

Dans un coin, Matougros en avait vraiment
assez. Comme il n'était autorisé à parler à
personne de la nuit difficile qu'il venait de
passer, il n'avait pu se faire dispenser d'exercice, et il avait mal partout. Chaque muscle le
faisait souffrir et le moindre mouvement lui
coûtait. En se cachant derrière les autres, il
essayait de ne passer qu'une fois sur deux,

mais il était si large que Minouchat le repérait presque à chaque fois.

– Allez, Matougros, c'est à toi. Applique-toi.

– Vas-y, c'est pas dur, l'encourageait Minetchou.

Matougros se plaça dans le cercle et, lorsqu'il fut bien en place, cria :

– Vas-y !

Minouchat lâcha la catapulte et la boîte passa à dix centimètres de Matougros sans qu'il ait esquissé le moindre geste.

Furieux, Minouchat se dressa.

– C'est du propre ! 0 sur 8. Je ne te souhaite pas de te trouver un jour nez à nez avec Vilmatou. Il te déchirera en mille miettes. Tu es le plus gros et le plus mou de tous ! Recommence !

– Oh ! non, je suis fatigué.

– Pas de discussion, renvoie-moi la boîte et recommence.

Matougros, résigné, alla chercher la boîte, mais il n'eut pas le temps de la relancer.

Un craquement sinistre les immobilisa tous. Ils se retournèrent et, très lentement, très silencieusement, reculèrent jusqu'au fond du terrain vague.

Jamais ils n'avaient vu pareil spectacle.

Une à une les planches du début de la palissade volaient en éclats.

Crac-clac-crac-clac-crac-clac.

Une force mystérieuse semblait les pulvériser avec une régularité de métronome.

Passé le premier moment de stupeur, les chats se ressaisirent. Minouchat, qui n'était jamais très courageux devant le danger, décida d'envoyer Minetchou.

– Tu vas aller jusqu'à la planche disjointe, tu jettes un coup d'œil et tu reviens nous dire de quoi il retourne. Ne prends pas de risques, surtout.

Minetchou n'entendit pas la fin de la phrase. Trop content de passer à l'action, il s'était déjà élancé.

Arrivé à la palissade, il donna un petit coup de frein. Sa queue se replia en point d'interrogation et il se mit à ramper. En prenant bien soin de ne pas la faire grincer, il poussa la planche qui était restée intacte avec le museau et jeta un regard oblique sur le trottoir.

Il vit d'abord Vilmatou, gras et important dans sa fourrure rayée, qui roulait des épaules, gonflait la queue et marchait d'un bon pas. Il arborait un petit sourire prétentieux et satisfait.

Derrière lui, il découvrit trois étranges siamois, deux grands encadrant un tout petit, qui avançaient en tapant du tranchant de la patte sur les planches de la palissade. Ce simple geste suffisait à briser les planches et les trois chats semblaient le faire sans effort, tout en suivant Vilmatou...

Prudent, il retira la tête et courut faire son rapport. Tout essoufflé, il raconta aux autres chats ce qu'il venait de voir.

Matougros était perplexe.

– Ils tapaient avec le tranchant de la patte, dis-tu ?

– Oui, comme ça.

– Et ils suivaient Vilmatou ?

– Ils étaient avec lui, c'est certain.

Chavert, qui avait récemment emménagé dans le quartier, fendit le groupe et s'avança :

– Je les connais... Ils étaient bien trois ?

– Oui, deux grands et un minuscule.

– Ce sont les karatéchats de Miaou-Li.

Un frisson parcourut le groupe. La sinistre réputation des karatéchats n'était plus à faire. Ils étaient aussi diaboliques que Miaou-Li était laid... et ce n'était pas peu dire !

– Il n'y a pas une minute à perdre, dit Matougros. Est-ce que tu te sens en forme ? demanda-t-il à Minetchou.

Pour toute réponse, Minetchou fit rouler ses muscles et fronça les sourcils.

– Parfait, prends-les en filature et ne les lâche pas. Il faut à tout prix savoir ce qu'ils trament. Nous pouvons maîtriser sans trop de peine Vilmatou et les Marlou, mais Vilmatou et les karatéchats forment une autre équipe ! Vas-y, file et reviens dès que tu auras du nouveau.

Minetchou s'élança.

– Au travail ! dit Minouchat. Il n'y a pas une minute à perdre. Pas de gymnastique ! Une, deux, une, deux !

Et il partit tout seul au pas cadencé. Les autres éclatèrent de rire. Rien de tel pour se détendre quand on a eu peur.

Minetchou connaissait le quartier dans ses moindres recoins, il n'eut donc aucune peine à suivre Vilmatou et ses acolytes sans se faire repérer.

Il entrait par une cuisine, ressortait par la

fenêtre de la chambre, sautait d'un perron, prenait un raccourci, profitait un instant de l'abri d'une poubelle, escaladait une gouttière, disparaissait dans un soupirail pour ressortir dix mètres plus loin par un trou d'égout...

Vilmatou et les karatéchats poursuivaient leur chemin vers la partie la plus élégante du quartier. Les trois siamois continuaient leur étrange manège. Ils frappaient sur tout ce qui passait à leur portée. Ils brisèrent des caisses en bois, ils tordirent des bouches à incendie, coupèrent net des parcmètres à coups de queue, rien ne fut épargné.

Minetchou tremblait un peu. S'ils le découvraient, il ne donnait pas cher de sa peau. Il ne tiendrait pas dix secondes... même devant le petit ! Ce minuscule siamois était le plus impressionnant du trio.

A un carrefour, Vilmatou s'arrêta et se retourna. Il avait l'air mécontent.

Minetchou parvint à s'approcher dans l'ombre d'un portail, mais il ne put entendre le début de la conversation.

– De toute façon, disait le petit karatéchat à Vilmatou, notre maître est hostile à la manière forte et nous ne voulons pas prendre le risque de la transporter en plein jour. Il faut à tout prix que l'affaire se passe sur notre terrain. Séduction et courtoisie seront nos devises.

– Faites à votre aise, mais je pense que vous avez tort.

– Nous ferons ce que tu voudras pour Superchat, mais dans cette affaire-ci nous suivons les consignes de notre maître.

– Parfait, allons-y.

Ils se remirent en route et Minetchou traversa la rue. Il s'abrita un instant derrière une poussette, puis il se cacha derrière le cartable d'un écolier qui rentrait chez lui. Son abri était si confortable qu'il faillit rater l'arrêt.

Sur le trottoir d'en face, Vilmatou et ses compères s'étaient brusquement immobilisés. Minetchou trouva une poubelle, se glissa derrière en prenant garde de ne pas salir sa belle fourrure blanche et il observa.

Les karatéchats se dirigèrent vers un soupirail. Le cœur de Minetchou fit un bond dans sa poitrine. Ces ignobles bandits frappaient chez Maminette ! Il dut se retenir pour ne pas bondir. Ils pouvaient attaquer n'importe qui, mais pas Maminette ! Elle était trop belle, trop délicate, trop fragile... Il ne pouvait accepter cela.

Elle ouvrit.

Sa belle fourrure était un peu en désordre.

– Excusez-moi, dit-elle, j'étais en train de prendre un peu d'exercice.

– Quelle moustache ! pensa Minetchou. Quel regard !

Elle fit entrer Vilmatou et les karatéchats, mais le petit resta dehors devant la porte.

– Vous laissez votre petit garçon ? dit-elle en le montrant du doigt.

– Ne vous inquiétez pas pour lui, il préfère jouer dehors.

Ils entrèrent.

« Elle les fait entrer ! Elle est folle ! Elle est folle ! Elle est folle ! »

Il prit son élan pour sauter, mais il vit le petit karatéchat couper distraitement un arbuste d'un coup de patte et il se retint.

Il se préparait à entendre d'un instant à l'autre des hurlements mais rien ne vint et cinq minutes plus tard, les trois visiteurs sortirent fort calmement. Maminette, souriante, les reconduisait.

Médusé, il resta derrière sa poubelle.

« Si les méchants deviennent gentils, se dit-il, je n'y comprends plus rien ! A quoi bon les suivre désormais, il doivent rentrer chez Vilmatou. »

Il se creusa les méninges pendant un petit

quart d'heure sans parvenir à aucune conclusion logique.

Maminette sortit à son tour, splendide, et arborant un nœud de soie rose. Il mit une seconde pour réagir, puis décida :

« Je vais aller lui parler, il faut que je sache. »

Il se fit une toilette rapide, vérifia la blancheur de ses poils et partit à sa rencontre. Il choisit de jouer l'étonnement.

– Tiens, Maminette ! Comment vas-tu ?

– Bonjour, Minetchou, je suis heureuse de te voir.

Elle recourba coquettement la queue.

– Je peux t'accompagner ?

– Volontiers.

– Tu as un bien joli nœud.
Je ne l'ai jamais vu.

– On vient juste
de me l'offrir.
C'est de la soie d'Orient.

– Ah ! très bien ! On peut savoir qui te l'a offert ?

– Non. C'est un secret.

– Un admirateur ?

– Oui.

– Tu sais qu'il s'est passé des choses bizarres ce matin au terrain vague ?

– Il n'y a pas eu d'exercice ?

– Si, mais il y a des karatéchats qui ont brisé la barrière à coups de patte.

– A coups de patte ?

– Oui, comme ça.

– Ils doivent être très forts.

– Je pense bien. Ils frappent de tous les côtés des quatre pattes et de la queue ! Méfie-toi si tu les rencontres.

– Oh, je ne risque rien ! Je leur ferai un sourire!

– Sois prudente, Maminette. N'ouvre pas ta porte à n'importe qui et n'accepte pas n'importe quoi.

– Excuse-moi, Minetchou, mais je suis assez grande pour savoir ce que j'ai à faire. Il faut que je rentre.

– On se voit cet après-midi ?

– Non, impossible, je suis invitée.

– On peut savoir où et par qui ?

– Non, Minetchou, cela ne te regarde pas. Au revoir.

Elle fit un demi-tour dédaigneux et partit sans se retourner.

Minetchou la regarda s'éloigner et se gratta l'oreille. La vie était décidément bien compliquée.

7

Préparatifs

Minetchou, accablé, retourna au terrain vague. En colère contre le monde entier et surtout contre lui-même, il traînait la patte, shootant dans les gamelles et les papiers gras. Il bougonnait.

Lorsqu'ils le virent d'aussi sombre humeur, les chats vinrent en silence se mettre en cercle autour de lui. Ils attendirent de longues minutes.

Il faisait les cent pas entre les flaques, tête baissée. Soudain il se décida et annonça à voix basse son triste rapport.

Tous essayèrent de le réconforter, en vain.

Charlot pensa que le meilleur remède à sa mélancolie était de le tenir occupé. Il le chargea donc d'une mission.

– Puisque nous ne savons pas où joindre Superchat, le plus sage est que tu retournes du côté de chez Maminette cet après-midi et que tu ne la lâches pas des yeux. Tu la suis à distance et tu ne te montres pas. Dès que tu sais où doit avoir lieu son mystérieux rendez-vous, tu viens chez moi, à la poissonnerie, nous serons quelques-uns à t'attendre, et nous aviserons. D'accord ?

– D'accord.

– Va manger un morceau et rejoins ton poste.

Chez Vilmatou, on en était aussi aux préparatifs. Les Marlou et leur chef étaient sagement assis comme à l'école et buvaient les paroles d'un des grands karatéchats.

– Mon but, expliquait-il, est de faire d'une

pierre deux coups. Maminette doit être à la fois un butin et un appât. Si, comme je l'espère, nous avons été suivis ce matin...

– Nous l'avons été, confirma le petit karatéchat. Par un jeune chat blanc, fort racé, fort élégant, très souple, très puissant et plein de bonne volonté. Il s'est bien appliqué.

– Comment as-tu fait pour... essaya de demander Vilmatou.

– Pas de question stupide, Vilmatou, nous avons été suivis, voilà tout.

– Maminette, disais-je, doit donc nous permettre de capturer Superchat. Lorsque sa disparition sera constatée, Superchat ne manquera pas de se rendre chez elle pour voir s'il peut trouver des indices. Mon petit et dangereux camarade ici présent sera sur place bien caché, rassurez-vous. Son travail consistera à rabattre Superchat sur l'enclos du père Mathieu où nous l'attendrons pour l'affronter en combat déloyal.

Les Marlou applaudirent.

– Quel beau plan ! hurla Bob l'Ahuri.

Vilmatou lui tordit le bout de la queue.

– Tu ne peux pas te taire un peu quand le karatéchat parle !

– Votre travail sera simple, messieurs les Marlou. Lorsque nous aurons capturé Maminette, qui ne va pas tarder à nous rendre visite, vous vous chargerez de la livrer à Miaou-Li. Il est prévenu et vous attend pour le milieu de l'après-midi.

Vilmatou se leva et dit d'un ton important :

– En ce qui me concerne, j'assurerai la liaison entre les deux opérations. Je resterai ici pour suivre le déroulement de l'affaire.

– Nous espérons tout de même vous voir à l'enclos en fin de journée.

– J'irai, et les Marlou nous y rejoindront pour assister à votre triomphe.

– Parfait. Pas de question ? Tout le monde connaît son rôle ? En ce qui vous concerne, messieurs les Marlou, pas d'initiatives ! Votre travail est simple, faites-le simplement.

– Allez, conclut Vilmatou, dépêchons-nous de nettoyer un peu avant que Mami-nette n'arrive. Vous, les Marlou, allez à côté apprendre vos consignes. J'irai vous les faire réciter.

Ils partirent se mettre au travail et le tout petit karatéchat s'en alla prendre son poste d'observation près de chez celle qui devait être à la fois le butin et l'appât.

Pour être sûre de ne pas être suivie, Mami-nette était partie avec une bonne heure d'avance et elle se promenait tranquillement dans les rues désertes du quartier, à l'opposé de son domicile.

Elle avançait souplement, le nez en l'air et la queue recourbée. Son ruban dénoué lui pendait librement sur le cou.

« Les chats sont bizarres, pensait-elle. Sous prétexte que je suis charmante, ils ne me font jamais confiance. Une pareille bêtise finit par les déshonorer. Comment peuvent-ils penser que je puisse être inconsciente au point de ne pas sentir le danger ? Tous ces messieurs sont trop bêtes... Ils méritent une leçon.

Elle leva les yeux sur le pâle soleil qui grimpait dans le ciel.

– Il est temps. Allons nous jeter dans la gueule du loup. Mais d'abord, remettons ce stupide nœud rose en place. Les karatéchats seraient fâchés si je n'arborais pas leur hideux cadeau.

Elle noua le ruban et partit de sa démarche souple et ondulante en direction de chez Vilmatou.

8

Dans la gueule du loup

Lorsque Vilmatou entendit frapper au soupirail, il eut un moment d'émotion. Comme tous les chats, il adorait Maminette et le fait de l'avoir ne serait-ce qu'un moment chez lui lui donnait des battements au cœur.

Dès que cette affaire serait terminée et qu'il serait définitivement débarrassé de Superchat, il échafauderait un plan pour reprendre Maminette à Miaou-Li.

Il ouvrit et elle entra.

Ebloui, il la fit asseoir.

– C'est très beau, chez vous, Vilmatou.

La cave était en réalité surchargée d'objets inutiles et l'on ne s'y déplaçait qu'avec peine.

Elle avait cela en horreur.

Il lui offrit une soucoupe de lait et prit pour lui un hareng fumé. Elle plissa gracieusement le nez, mais il ne comprit pas ou feignit de ne pas comprendre. Impoli par nature et par vocation, il lui mâchouilla son hareng sous la truffe pendant tout le temps que dura leur brève conversation.

Après quelques banalités, Vilmatou en vint au véritable problème.

– Aimeriez-vous avoir une vie de luxe, à l'abri du besoin et des intempéries ?

– Certes.

– Aimeriez-vous êtes couvertes de soieries, de bijoux et de fleurs ?

– Bien sûr, affirma Maminette en pensant : « Quelle banalité ! Ce pauvre Vilmatou manque bien d'imagination. »

– Cette vie de rêve est à votre portée.

– Ce n'est tout de même pas vous qui pouvez m'offrir tout cela !

– Non, mais un ami à moi qui vous aime beaucoup.

– Peut-on savoir son nom ?

– C'est un chat fort gentil, fort courtois, fort riche, fort bien élevé... Son seul défaut est d'être un peu laid.

– Est-ce de M. Fred Marlou qu'il s'agit ?

– Non, cet ami est même encore un peu plus laid.

– Comment cela se peut-il ? demanda-t-elle en repliant sa queue en point d'interrogation.

– Ses qualités de cœur font vite oublier sa laideur.

– Allons, ne me faites pas languir. De qui s'agit-il ?

– Du très riche et très puissant Miaou-Li.

En entendant ce nom, Maminette resta figée une seconde. Ses yeux s'élargirent, son regard se fixa, sa tête bascula sur le côté et elle s'évanouit.

Vilmatou se précipita sur elle. Il posa son hareng sur un cendrier et lui donna quelques tapes. Elle ne bougeait pas. Il lui tordit doucement le bout de la queue. Elle ne bougea toujours pas.

« Parfait, parfait, se dit-il en se frottant les mains, voilà qui m'évitera de l'assommer. »

Il alla calmement jusqu'à la porte de la cave voisine et frappa un coup sec. Les six yeux des Marlou brillaient dans le noir.

– Venez vite ! Ligotez-la et n'hésitez pas à utiliser de la corde.

– Tu n'as pas tapé trop fort, au moins ? s'inquiéta Loulou Cicatrice.

– Occupe-toi de tes affaires. Le plus dur est fait. Vous la ligotez bien, vous attendez une heure et vous vous mettez en route. Compris ? Enveloppez-la soigneusement, il ne s'agit pas que les passants la reconnaissent.

– Compris, répondirent-ils en chœur.

Et ils se mirent à leur sinistre besogne.

Minetchou arriva devant chez Maminette pour prendre son poste.

Le petit karatéchat, dissimulé derrière une haie de troènes nains, le vit arriver.

« C'est lui, se dit-il. Le même que ce matin. Cela m'étonnerait beaucoup que ce jeune homme soit le terrible Superchat, mais soyons prudent. »

Minetchou reprit son poste d'observation derrière la poubelle et attendit.

Il attendit une demi-heure. Il attendit une heure...

Rien ne bougea.

Il décida d'aller voir. Il traversa la rue et le jardinet. Arrivé au soupirail, il frappa. Personne ne répondit. Il poussa doucement le battant, qui céda sans résistance.

– Maminette ! cria-t-il.

Pas de réponse.

Il entra et inspecta toutes les caves.

– Maminette ! Maminette !

« Je suis arrivé trop tard, cria-t-il à haute voix, et en plus de cela j'ai perdu du temps à attendre !

Il s'arracha une touffe de poils.

« Bonté féline ! S'il lui arrive malheur, ce sera ma faute. »

Il s'élança et partit ventre à terre sur le trottoir, zigzaguant entre les jambes des passants, sautant les obstacles, franchissant sans prendre garde les carrefours. Derrière lui, le minuscule karatéchat tricotait des quatre pattes à une incroyable vitesse.

Malgré la différence de taille, Minetchou ne lui prit pas un mètre d'avance. Jamais non plus il ne se retourna et jamais il n'eut l'impression d'être suivi. Il était bien trop en colère et bien trop pressé pour avoir ce genre de sensation.

9

Inquiétude chez Charlot

Minetchou à bout de souffle se laissa tomber dans la cave de Charlot par le soupirail. Epuisé, il resta étendu sur le sol. Charlot fit écarter les curieux qui s'étaient approchés et l'éventa avec son grand tablier bleu.

– Ne vous en faites pas, il va revenir à lui. Il est juste un peu fatigué. Il a couru trop vite.

Le petit karatéchat regardait la scène, caché dans l'obscurité du soupirail.

Minetchou ouvrit un œil, secoua la tête et s'assit.

– Ça va mieux, dit-il. Merci, Charlot.

– Que s'est-il passé ? demanda Matougros.

– Rien... C'est ma faute.

– Comment ça ?

– Il n'y avait personne chez Maminette. Elle est partie avant que j'arrive.

– Mais elle est en danger, à l'heure qu'il est !

– Il est peut-être déjà trop tard.

– Il faut prévenir Superchat, proposa Charlot.

– Comment veux-tu faire ?

Pour aider Minetchou à se relever, Matougros ôta sa musette et alla la poser contre le mur. Il ne fit pas attention et la posa à l'envers, avec le S bien en évidence. Ce détail n'échappa pas à l'œil perçant du karatéchat. Son minuscule cerveau travailla à une vitesse incroyable.

« 1. Ce gros chat noir s'appelle Matougros.

2. Matougros ne commence pas par la lettre S.

3. Pourtant, sa musette porte la lettre S.

4. Or, Superchat commence par un S.

5. Donc, deux suppositions : il est Superchat, ou il connaît Superchat.

6. Première supposition : impossible, ce lourdaud ne peut être Superchat.

7. Deuxième supposition : possible, les justiciers adorent avoir des assistants ventrus à l'air tranquille.

8. Conclusion : C'est ma seule piste. Il n'y a pas à hésiter. »

Il n'hésita pas.

Il se coula dans l'obscurité, longea le mur et grâce à sa petite taille, se glissa à l'intérieur de la musette.

Prévoyant qu'une interminable discussion allait s'engager sur ce qu'il convenait de faire ou de ne pas faire, Matougros s'esquiva. Dans le tohu-bohu général, son départ passerait inaperçu... et puis il savait bien qu'il n'était pas de ceux à qui l'on confie des missions énergiques !

Il ramassa sa musette et la trouva un peu lourde. Il pensa que Charlot y avait mis quelques poissons.

Il entra dans le square.

C'était un jour d'école et il n'y avait pas de représentation au théâtre Guignol. Il se glissa dans les coulisses et entreprit de s'habiller. Il se mit à parler à haute voix avec les marionnettes.

– Tu vois, mon vieux Guignol, je retourne au travail... et une fois de plus à cause de Maminette.

Plongé dans l'obscurité de la musette, le petit karatéchat ne comprit pas très bien ce qui se passait. Il vit la patte de Matougros entrer à plusieurs reprises dans la musette, il fit chaque fois attention à ne pas être repéré, mais il crut très sincèrement que Matougros faisait passer à quelqu'un d'autre toutes les pièces du costume.

– Le loup d'abord, la cape, la ceinture... Ouf, ça y est.

Matougros gonfla la poitrine, sa tache blanche se transforma en un S lumineux. Fin prêt, il sortit. Il plaça la musette sous sa cape et prononça la formule magique : « A toi, à moi, Superchat ! »

Il commençait à être habitué à voler et il jouait un peu. Au lieu de décoller verticalement comme d'habitude, il s'amusa à imiter les avions. Il partit en courant tête baissée sur l'allée sablonneuse et tout doucement quitta le sol. Il écarta d'abord les bras pour prendre appui dans l'air, puis replia doucement le bras gauche pour monter dans le ciel en décrivant une courbe parfaite.

Il n'avait aucune indication sur le lieu où pouvait se trouver Maminette. Il décida donc d'aller à la verticale de chez Vilmatou et de décrire à partir de ce centre des cercles de plus en plus larges. Avec cette méthode, il était sûr qu'aucun pouce de terrain ne lui échapperait.

Il s'y tint avec une grande rigueur. Pour éviter le vertige, il décrivait un cercle à droite et le suivant à gauche. L'œil aux aguets, il inspectait chaque centimètre carré de rue et de trottoir.

La seule chose qui le chagrinait un peu, c'était ses oreilles radars. D'ordinaire, lorsqu'il était en mission et qu'un chat du quartier se trouvait en fâcheuse posture, ses oreilles radars le prévenaient de la proximité du danger. Maminette était certainement en danger, mais ses oreilles ne bougeaient pas. Il y avait là un petit mystère qu'il faudrait éclaircir. Si seulement il pouvait convoquer Chattemerline...

Il s'inclina un peu plus sur le côté pour

boucler son cinquième cercle lorsqu'il repéra un étrange équipage. Il freina et fit demi-tour. Trois chats jaunes qui pouvaient fort bien être les frères Marlou transportaient un paquet ficelé comme un saucisson qui pouvait fort bien être Maminette.

A y regarder de plus près, c'était même sû-

rement Maminette. Le bout de queue qui dé-
passait du paquet était si beige et si touffu
qu'il ne pouvait appartenir qu'à elle.

Superchat amorça un piqué.

Il échafauda rapidement un plan.

« Je vais d'abord leur arracher un poil de
moustache à chacun, selon ma bonne habitude, ensuite chandelle, virage sur l'aile, piqué rapide poings en avant et j'essaie de les
toucher tous les trois d'un seul coup... comme
au billard. Je vise d'abord Fred, c'est lui qui a
la tête la plus dure. »

Il commençait à prendre de la vitesse lorsqu'il sentit que sa musette glissait. Il ralentit
pour la remettre en place. Elle était ouverte.
Etonné, il resta un moment en suspension entre deux airs pour la refermer. Une petit voix
le fit sursauter et il sentit immédiatement une
piqûre à la nuque, au niveau du bulbe
rachidien.

10

Détourné

– Attention ! Superchat ! tu es en mon pouvoir. Ne fais pas de geste brusque, mes griffes sont aiguisées et je n'hésiterai pas une seconde à te supprimer.

Superchat lança un coup d'œil discret par-dessus son épaule et découvrit en gros plan le tout petit visage du minuscule karatéchat. Sa décision fut aussitôt prise. Il allait obéir. Il avait vu voler les planches du terrain vague et il ne voulait pas prendre de risque inutile.

« Un Superchat en mauvaise posture vaut mieux qu'un Superchat mort », pensa-t-il.

– A partir de cet instant, Superchat, tu peux te considérer comme détourné. Tu vas piloter selon mes ordres et à la moindre désobéissance...

– Je ferai ce que tu ordonneras.

– Parfait. Première chose : je t'interdis de voler trop vite tant que je serai sur ton dos. A la moindre accélération brutale, je te pique ! Deuxième chose : tu vas prendre immédiatement de l'altitude pour te mettre hors de vue des frères Marlou.

– Pas de risque de ce côté-là. Ils arrivent à peine à marcher droit quand ils regardent devant eux et il y a bien peu de chances qu'ils lèvent la tête !

– Je me passerai aussi de tes commentaires, coupa sèchement le minuscule karatéchat. Contente-toi d'obéir. Je ne crains pas la mort et je n'hésiterai pas à me sacrifier avec toi.

– Très bien, très bien.

Superchat s'éleva dans le ciel et disparut très vite au-dessus des toits.

A la verticale du clocher de l'église, le karatéchat lui donna son premier ordre de direction.

– Tu prends à 10 heures et tu vas tout droit en gardant soigneusement le cap.

Superchat exécuta la manœuvre en veillant bien à garder les pattes légèrement tournées, paumes en avant, pour éviter que la surcharge ne le fasse piquer du nez. A petite vitesse, il s'enfonça dans le ciel gris en direction des banlieues.

Une fois le « colis » expédié sous la responsabilité des trois Marlou, Vilmatou conduisit les deux karatéchats jusqu'à l'enclos du père Mathieu. L'un d'eux portait un grand sac noir sur lequel on pouvait lire en lettres blanches, au-dessus d'une tête de (chat) mort : matériel offensif.

L'enclos du père Mathieu se trouvait un

peu à l'écart de la ville. C'était un petit jardin carré de cinq mètres sur cinq, entièrement clos de palissades et qui, lorsque la porte était fermée de l'extérieur, offrait un parfait terrain de bataille. Nul ne pouvait en sortir, et les affrontements devaient aller jusqu'à leur terme. Il n'y avait ni fuite ni retraite possible. C'est là que Vilmatou aimait à régler ses comptes... ou plus exactement aimait à faire régler ses comptes par les autres. La terre avait été fraîchement labourée sur toute la surface et des mottes inégales rendaient la marche difficile. Les pluies des derniers jours avaient çà et là laissé des flaques boueuses dans lesquelles les nuages gris qui traversaient le ciel se reflétaient tristement.

Les trois chats entrèrent et Vilmatou tira la porte derrière lui.

– N'est-ce pas merveilleux ? lança-t-il avec un large sourire. N'est-ce pas le champ de bataille idéal ? N'allez-vous pas vous régaler tout à l'heure ?

Il aurait bien aimé une petite réaction ou au moins un petit signe d'assentiment, mais les karatéchats s'étaient déjà mis au travail.

En vrais professionnels, ils ne négligeaient aucun détail. Il savaient que l'adversaire allait être de taille et qu'il leur fallait mettre toutes les chances de leur côté. Ils commencèrent par inspecter soigneusement les lieux. Ils examinèrent la résistance de chaque planche et éprouvèrent la solidité de chaque centimètre carré du sol.

Ils ouvrirent enfin leur sac et en sortirent une large pelle. Ils asséchèrent les flaques et aplanirent les plus grosses inégalités.

Vilmatou, impatient, piaffait autour d'eux. Il ne cessait de poser des questions.

– Pourquoi vous bouchez les trous ? Superchat pourrait trébucher dedans et vous n'auriez qu'à le cueillir. Pourquoi vous ne vous échauffez pas, plutôt ? Qu'est-ce que vous allez lui faire d'abord ? Vous avez vu, il reste une petite flaque, là-bas dans le coin. Et si vous creusiez un piège ? Vous n'oubliez pas qu'il peut voler, hein ? Vous êtes en forme ? Pas trop nerveux ?

Sans rien dire, et au même instant, les deux siamois le prirent chacun par une patte et le transportèrent gentiment mais fermement hors de l'enclos.

– Que l'ignoble Vilmatou nous pardonne, mais nous avons à travailler et nous ne pouvons supporter son bavardage.

Stupéfait, Vilmatou resta à distance pour observer et se promit de ne pas oublier cet affront dans son rapport à Miaou-Li. Lorsqu'il lui déclarerait la guerre et qu'il irait récupérer la belle Maminette, il ne raterait pas l'occasion de tire-bouchonner la queue de ces lugubres karatéchats.

Les deux combattants tirèrent de leur sac

une poignée de gros clous et un marteau. Ils plantèrent soigneusement les clous au sommet des palissades.

« Ils sont fous, pensait Vilmatou en haussant les épaules, ils ne croient tout de même pas que Superchat viendra se prendre les pattes dans leurs clous. Il ne se laissera pas prendre à ce piège-là ! »

Les deux chats redescendirent dans l'enclos et sortirent du fond du sac un filet de pêcheur à mailles fines. Grâce aux clous qu'ils venaient de planter, ils purent le tendre sans peine au-dessus de leurs têtes.

– J'y suis ! s'écria Vilmatou admiratif. C'est astucieux, très astucieux ! Superchat ne pourra pas s'envoler !... Comme ça, ils sont à armes égales, et comme à armes égales les karatéchats sont plus forts, puisqu'ils font du karaté et qu'ils sont trois, les karatéchats ont gagné ! Youpi ! Youpi !

Il se mit à sauter de joie comme un cabri pendant que les deux siamois, consciencieux, s'apprêtaient à casser quelques briques.

11

La grande bagarre

– Je te dis que ce n'est pas ici ! répéta Loulou Cicatrice.

– Mais si ! Vilmatou a dit « derrière le restaurant ».

– Mais non, protesta Bob l'Ahuri, il a dit
« dans l'impasse ».

– Il a dit « dans l'impasse, derrière le restaurant » ! Et on est dans l'impasse, derrière
le restaurant.

– Oui, mais c'est une autre impasse, derrière un autre restaurant.

– Et puis arrêtez de hurler tous les deux,

parce qu'il a dit aussi qu'il fallait être discret et qu'il ne fallait surtout pas se faire repérer.

Loulou lâcha brusquement sa part du fardeau.

– Arrête, oh ! Tu vas l'abîmer !

– Tenez bon dix secondes, je vais voir.

Il s'enfonça jusqu'au fond de l'impasse et se glissa entre les poubelles.

Bob essaya de trouver une position plus confortable pour transporter Maminette.

– Il ne faudrait pas qu'elle se réveille, dit-il à son frère.

– Ça ne risque rien, elle est attachée.

– Oui, mais elle pourrait crier et faire un foin de tous les diables. Je la connais, en dix secondes on aura tout le quartier sur le dos.

– Dès qu'elle ouvre un œil, je lui remets un coup sur la tête.

– Pas trop fort, hein, elle est jolie et puis Maman nous a toujours dit que les chattes c'est très fragile.

De poubelle en poubelle, Loulou continuait son inspection. Un pas en avant, un coup d'œil à droite, un coup d'œil à gauche. Plus il avançait vers le fond de l'impasse, plus il faisait sombre et plus le sol était glissant. Comme il n'était pas particulièrement hardi, il multipliait les précautions et son cœur battait à tout rompre. Un autre pas en avant, un coup d'œil à droite, un coup d'œil...

– WAOOO !

Il poussa un hurlement de terreur et fit un bond de trois mètres au-dessus du sol.

Splash !

Il retomba lourdement, la tête la première, et se tordit le cou.

Miaou-Li sortit de sa cachette entre deux poubelles et l'aida à se relever.

– Je vous ai fait peur, monsieur Marlou ?

– Non, non, pas vraiment, très vilain Miaou-Li...

– J'ai entendu du vacarme dans l'impasse

et je suis sorti... Je me méfie. Avez-vous mon petit paquet ?

– Oui, oui, mes frères sont là, ils vous attendent.

– Faites-les entrer, je vous en prie, et qu'ils prennent bien garde à leur précieux chargement, le soupirail est étroit.

Dans une parfaite harmonie de mouvements, les deux karatéchats achevaient de s'échauffer. Une patte en avant, genoux fléchis, ils donnèrent encore quelques coups de poing dans le vide en poussant de petits cris, puis s'arrêtèrent. Ils tirèrent le grand sac noir sur le sol, dans un angle de l'enclos.

Dehors, Vilmatou ne tenait plus en place, il allait et venait en tous sens. Impatient de voir arriver Superchat, il regardait à gauche et à droite, sur tous les chemins. Les karatéchats,

immobiles, se contentaient de scruter le ciel.
Ils savaient d'où allait venir leur future victime !

Un petit point noir apparut à l'horizon, qui
grandit vite. Bientôt ils purent reconnaître la
gerbe d'étincelles qui accompagnait le vol de
Superchat. Ils ouvrirent la porte de l'enclos.

Superchat et son minuscule passager approchèrent. Pour s'assurer que tout était nor-
mal, le petit karatéchat lui fit faire un tour
au-dessus de l'enclos, puis lui donna l'ordre
d'atterrir.

Un des grands karatéchats guida l'atter-
rissage en levant les bras et Superchat vint se
poser en douceur devant la porte de l'enclos.

Le passager sauta à terre.

Rapidement, il expliqua à ses collègues que
tout allait pour le mieux, que le premier colis
allait être livré et que leur future victime était
à leur disposition.

Superchat se frottait le cou. A rester ainsi

contracté avec ce passager à moitié clandestin sur les épaules, il avait attrapé un sérieux torticolis.

Dès qu'il avait aperçu le petit enclos, ses doutes l'avaient quitté ! Il allait tout droit vers une bagarre. C'était toujours là que Vilmatou s'arrangeait pour faire régler ses comptes par les autres !

Il eut une petite pensée pour Maminette et se dit qu'il avait tout intérêt à vivement régler cette bataille pour pouvoir voler à son secours.

Vilmatou, tout essoufflé, arriva près de lui.

– Ah, vous voilà, on vous attendait.

– J'aurais été bien étonné de ne pas te voir ici. Où as-tu fait transporter Maminette ?

– Maminette ? Elle n'est pas chez elle ?

– Ne fais pas le naïf...

Très courtoisement, mais fermement, les trois karatéchats l'invitèrent à entrer dans l'enclos.

– A tout à l'heure ! lança Superchat.

Vilmatou ferma la porte de l'extérieur et grimpa en haut du mur pour assister au spectacle.

D'un simple coup d'œil, Superchat constata que le terrain avait été soigneusement préparé.

« De vrais professionnels, se dit-il, la bataille sera rude. »

Il vit aussi que le filet lui ôtait toute chance de fuite par le haut. Le dernier combat qu'il avait mené dans ce même endroit contre les quatre chiens de la bande à Doguie-Dogue était une véritable partie de plaisir à côté de celui qui se préparait. Ne connaissant pas grand-chose au karaté, il se demandait comment il allait manipuler ses trois adversaires... Pour la première fois peut-être depuis qu'il faisait des missions, Superchat était inquiet.

Sans perdre un seul instant et sans montrer la moindre hostilité, un des deux grands karatéchats vint s'incliner devant lui et se mit en position de combat. Par jeu, Superchat calqua sa position sur la sienne. L'attaque fut brutale et soudaine.

En poussant un cri terrible, le karatéchat lança son pied à la face de Superchat. Surpris, il recula la tête, mais pas assez pour esquiver le coup. Un poil de sa moustache resta coincé entre deux doigts de pied du karatéchat.

– Aïe !

Superchat avait horreur qu'on lui arrache les poils de la moustache. Une colère épouvantable le prit. Il se rua de toutes ses forces sur son adversaire. Coups de patte, coups de griffe, coups de queue... Babines retroussées, toutes griffes dehors, il jeta dans l'affrontement toutes ses forces magiques. Une gerbe d'étincelles accompagnait chacune de ses fureurs.

Vlam ! Tchac ! Zoom ! Clac ! Han !

Sans montrer le moindre affolement, le karatéchat para un à un tous les coups. Lorsque Superchat le frappait à la tête, il se baissait, lorsqu'il le frappait aux jambes, il sautait, lorsqu'il le frappait à la tête et aux jambes à la fois, il bloquait les coups avec la patte avant et la patte arrière...

Superchat doubla tous ses coups, essaya toutes les ruses, rien n'y fit. Il parvint seulement à gagner un peu de terrain.

Centimètre par centimètre, le karatéchat recula. Lorsqu'il sentit qu'il allait bientôt être acculé contre le mur, il fit un signe à ses deux compères.

Les deux autres n'attendaient que ce signe pour se jeter dans la bataille. Ils s'inclinèrent eux aussi devant leur adversaire et se mirent en position de combat.

Pour la première fois depuis qu'il accomplissait ses missions, Superchat s'inquiéta. S'il n'avait pas pu en vaincre un, qu'allait-il faire contre trois ? Aurait-il seulement assez de réserves pour tenir le coup ?

Très vite ses craintes se trouvèrent confirmées. Il ne put même plus placer une seule attaque. Toutes ses forces lui servaient à se protéger. Harcelé de toutes parts, il dut reculer pas à pas. Les karatéchats faisaient autour de lui une ronde étrange. Pour se protéger de leurs coups successifs, il était obligé de valser et bientôt il se sentit gagné par le vertige. Ses jambes ne le portaient plus et il ne savait plus très bien où il était. Les karatéchats firent de lui ce qu'ils voulaient et en quelques secondes il se retrouva coincé dans un angle de l'enclos...

Vilmatou applaudit et sonna l'hallali.

Le petit karatéchat harcelait son adversaire aux jambes pendant que les deux autres essayaient de lui marteler le visage.

Par réflexe, il esquivait chaque coup, mais il voyait chaque fois des pattes passer plus près, chaque fois des griffes frôlaient ses yeux.

Comme à l'entraînement, les karatéchats enchaînaient leurs mouvements : maé-géri, yoko-géri, mawashi-géri, oi tsuki... Il ne leur restait plus qu'à en finir...

Sur un ordre bref du petit, ils prirent un peu de recul et s'élancèrent. Superchat leva son avant-bras devant ses yeux, autant pour les protéger que pour ne pas voir le massacre. Pour la première fois de sa vie de Superchat, il avait renoncé à lutter.

Maminette ouvrit un œil. La comédie avait assez duré, il était temps qu'elle se réveille de son faux évanouissement.

Elle était étendue dans une cave luxueusement aménagée. Prudente, elle jeta un coup d'œil circulaire. Personne à droite, personne à gauche, personne derrière... Dans l'obscurité, devant elle, elle vit bouger quelqu'un. Miaou-Li s'approcha.

Lorsqu'il entra dans la tache de lumière, elle eut un haut-le-cœur.

« Courage, se dit-elle. Après tout, ce n'est

qu'un chat avec une tête de bouledogue... »

– Bonjour, Maminette, et bienvenue chez moi.

– Vous auriez pu m'inviter plus courtoisement et ne pas me faire transporter par ces trois lourdauds.

– Oubliez-les. Je les ai renvoyés chez leur illustre patron.

Miaou-Li la fit asseoir sur un sac et s'installa près d'elle. Il lui prit tendrement la patte.

Maminette, qui ne l'entendait pas de cette oreille et ne voulait pas perdre de temps avec ce sinistre individu, se leva et brusqua les événements.

– Parfait, merci de m'avoir si gentiment reçue, mais il est temps que je parte.

– Vous n'êtes pas pressée ?

– Si, je suis pressée.

Miaou-Li, sûr de lui, sourit et la fit asseoir fermement.

– Vous ne partirez pas, Maminette, vous ne partirez plus.

– Et comment cela ?

– Vous êtes ma prisonnière... mais rassurez-vous, vous aurez tout ce que vous pouvez souhaiter. Je vous couvrirai de cadeaux et de tendresse...

– Je n'ai rien à faire de tout cela, laissez-moi partir.

Elle fit un pas vers le soupirail et il la retint fermement par la queue.

– Il n'en est pas question.

– Vous savez parfaitement que vous ne pouvez pas me retenir. Superchat viendra à mon secours.

Miaou-Li partit d'un énorme éclat de rire et la força à s'asseoir.

– Superchat ! A l'heure qu'il est, votre beau héros masqué doit être réduit en chair à pâté... Mes trois karatéchats s'occupent activement de lui et jamais, vous m'entendez bien, jamais ils n'ont raté une mission.

Une lueur d'inquiétude passa dans le beau regard de Maminette. Imperceptiblement, sa queue se raidit et un frisson lui parcourut l'échine. Elle se leva.

– Vous avez osé faire cela, dit-elle, vous avez osé !

– Par amour pour vous, belle Maminette.

Il s'inclina profondément et, lorsqu'il releva les yeux, il vit Maminette solidement plantée sur ses pattes arrière, coudes au corps et griffes en avant.

– Mais que faites-vous ? Qu'est-ce que ça signifie ?...

Il recula d'un pas et Maminette poussa un grand cri...

12

Coup double

Autour de l'enclos, c'était la consternation. Tous les chats qui s'étaient perchés sur le sommet de la barrière pour assister à la victoire de Superchat étaient atterrés. Le spectacle offert à leurs yeux à travers le filet les glaçait d'horreur. Superchat, l'immense Superchat, allait être pulvérisé par ces trois karatéchats ! Une ère de malheur allait commencer pour eux. La vie avec Vilmatou n'était pas drôle tous les jours, mais la vie avec Miaou-Li allait être encore pire ! Sans Superchat, ils ne parviendraient jamais à lutter... Les seuls spectateurs joyeux étaient les Marlou revenus en toute hâte et leur chef diabolique, l'élégant Vilmatou. Ils se frottaient les pattes et riaient de plaisir.

Lorsque les coups cessèrent une seconde, Superchat comprit que ses adversaires étaient en train de prendre de l'élan pour lui donner le coup de grâce. Il ferma les yeux... et c'est à cet instant qu'il entendit la voix magnifiquissime et inoubliablissime de Chattemerline. Elle lui coula dans les oreilles comme une douce pluie de fines clochettes.

– N'oublie pas que tu es un dur, Superchat, n'oublie pas !

En un éclair, il se sentit transporté, il baissa la patte qu'il avait mise devant ses yeux. La vue des trois karatéchats prêts à bondir lui redonna des forces. En un autre éclair, il contracta tous ses muscles aussi fort qu'il le put. Cela lui donna même un petit rictus qu'un des karatéchats prit pour un sourire.

« Il est devenu fou », pensa-t-il et il lui lança sa patte à la tête dans un mawashi-géri modèle.

Vlam !

La patte heurta Superchat au-dessus de l'oreille, à toute volée. Le justicier ne bougea pas d'un millimètre. Le combat cessa un instant. Souffle coupé, tous les chats attendirent l'instant où il allait basculer sur le côté comme une quille.

Superchat ne bougea pas.

Le petit karatéchat alla le pousser doucement de la patte pour l'aider à tomber, mais il ne tomba pas. Intrigué, il poussa plus fort, rien n'y fit. Il frappa du tranchant de la main, en vain. Il donna un coup de pied... pas de résultat.

Il recula de trois pas, regarda ses deux complices, leur fit un signe et hurla :

– Banzaï !

Ils se jetèrent tous trois sur le pauvre Superchat complètement découvert.

La gorge des spectateurs se serra.

Toujours souriant, Superchat reçut la plus phénoménale volée de coups de l'histoire du karaté.

Loulou Cicatrice ne put contenir sa joie, il se mit à applaudir et à applaudir et à bourrer Charlot, perché à côté de lui.

– C'est la fin ! C'est la fin ! Fini, Superchat, fini !

Charlot lui posa calmement la patte sur l'épaule :

– Tu as oublié un détail, Loulou, c'est que Superchat est un dur, un vrai.

Minetchou ne comprenait plus rien. Il ne pouvait admettre la démission de Superchat et voulait à tout prix entrer dans l'enclos pour se lancer dans la bataille.

Vilmatou le retenait par la queue.

– Tu n'as pas le droit, deux contre trois, ce ne serait pas juste.

Suant et soufflant, les karatéchats conti-

nuaient à frapper. Inerte et immobile, Superchat continuait à encaisser.

Après un quart d'heure de ce petit jeu,
leurs coups se firent moins puissants et moins
précis, leurs poings rataient leur cible pour
aller s'écraser contre la palissade, leurs pieds
fatigués tapaient sur le sol, leurs griffes res-
taient plus souvent rentrées que sorties, leurs
queues endolories pendaient misérablement à
terre.

Superchat, toujours bloqué dans son coin,
continuait à sourire.

Dans la cave de Miaou-Li, retentit un
« aïe » phénoménal.

Le petit karatéchat, épuisé, s'effondra le
premier. A bout de souffle, les pattes endolories, il s'évanouit.

Ses deux compères tinrent le coup un moment de plus mais leur moral était atteint. Rien n'était plus déprimant que cet adversaire qui souriait placidement et qui n'essayait même pas de se défendre. Ils auraient préféré une vraie bataille, à la limite ils auraient été contents d'encaisser quelques coups... Leurs forces les abandonnèrent et ils tombèrent à leur tour...

Et c'est ainsi que les trois redoutables casseurs de briques, les pulvérisateurs de barrières et de parcmètres se retrouvèrent étendus, au beau milieu de l'enclos du père Mathieu, pattes en croix.

Superchat décontracta ses muscles un à un, fit une ou deux flexions, souffla et leva les pattes en signe de victoire. Une grande clameur accueillit son geste. Tous les chats, soulagés, hurlaient de joie.

– Vive Superchat ! Vive Superchat !

Calme, il alla chercher le grand sac noir qui

était resté dans le coin et il y mit les trois karatéchats.

– Un colis pour Miaou-Li ! lança-t-il.

Vilmatou voulut profiter de la nouvelle ovation pour filer en douce. Puisque la bataille était perdue, il lui semblait bien inutile de prendre quelques coups supplémentaires... Il se retourna et se laissa glisser en bas du mur. Au moment de sauter à terre, il se trouva bêtement suspendu par la queue.

– Où vas-tu, Vilmatou ? demanda Minetchou. Reste un moment avec nous, il faut que tu félicites Superchat.

De son côté, Charlot n'avait pas perdu son temps, il avait noué les queues des trois Marlou pour leur interdire toute retraite... Quand Superchat était là, tout le monde redoublait de courage.

Minetchou décrocha le filet et Superchat sauta souplement sur la barrière. Tout le monde voulait le féliciter et le toucher.

– Une seconde, cria-t-il.

Il alla chercher Vilmatou et les Marlou et les obligea à sauter dans l'enclos. Il prit ensuite le filet des pattes de Minetchou et le leur plaça sur la tête. Empêtrés dans les mailles, les quatre commencèrent à se battre.

– Arrête, Bob, tu me marches sur le ventre !

– Vilmatou ! Fred m'a collé sa queue dans l'œil, je n'y vois plus rien.

– Tu m'appuies sur la figure !

– Arrêtez, tous les trois, ou je vous prive de dîner, ce soir !...

– On s'en fiche, on est au foin !

Dans un éclat de rire général, Superchat sauta à terre, à l'extérieur de l'enclos.

– Tu es le dur des durs, disait Charlot.

Une grappe de chats se forma autour de lui.

– Pourquoi as-tu choisi cette stratégie ? demandait Minetchou.

– Tu nous as fait peur.

– C'était une bonne idée de te durcir comme ça. Tu es un drôle d'encaisseur !

– Tu crois qu'ils vont mettre longtemps à récupérer ?

– Tu n'as pas trop chaud ? Tu ne veux pas quitter ta cape ?

Superchat écarta doucement ses admirateurs.

– Mes amis, dit-il, je répondrai plus tard à toutes vos questions, mais ce combat n'était pour moi qu'un apéritif. Maminette est en danger, je dois maintenant aller la tirer des griffes de Miaou-Li. Je n'ai pas le droit de reculer devant cette nouvelle mission.

– Tu es sûr qu'il te reste assez de forces ?

Superchat remit sa ceinture en place et se plaça en position de décollage.

– J'en trouverai...

– Ce ne sera pas la peine, lança une douce voix derrière eux.

Tous se retournèrent et virent Maminette,

souriante, apparaître à l'angle de l'enclos. Délicieuse et charmante, elle avait l'air d'être en pleine forme.

– Tu as réussi à t'échapper ? lui demanda Superchat.

– Oui, j'ai réussi, dit-elle en baissant modestement les paupières. Je vous ai même apporté un petit cadeau.

Elle sortit sa patte de derrière son dos. Elle tenait l'extrémité d'une queue. Elle tira, Miaou-Li apparut à son tour, plat comme une carpette.

– Voilà ! dit-elle.

Il y eut un silence stupéfait.

Superchat retrouva le premier ses esprits.

– Comment as-tu fait ?

– Attends que je me rappelle, dit-elle coquettement... Maé-géri, oi tsuki, yoko-géri et mawashi-géri... c'est ça.

– Mais c'est du karaté !

– Bien sûr.

– Tu es donc karatéchatte ? demanda Minetchou.

– Que crois-tu donc, Minetchou ? Les vrais karatéchats ne sont pas ceux qui passent leur temps à casser des briques pour faire peur aux copains. L'essentiel, c'est d'être karatéchatte au bon moment.

– Tu n'as donc jamais été en danger ? demanda Superchat.

– Jamais.

« Voilà pourquoi mes oreilles radars n'ont pas fonctionné », se dit-il, rassuré.

Revenus de leur stupeur, les chats s'approchèrent. Tous regardaient Maminette avec une double admiration.

Miaou-Li était dans un triste état. A l'évidence, il encaissait moins bien le karaté que Superchat. Il lui faudrait sans doute un jour ou deux avant de pouvoir ouvrir l'œil gauche et une bonne semaine avant de voir repousser les poils de sa queue !

Les chats portèrent les vainqueurs en triomphe. Ils racontèrent à Maminette la grande bagarre de l'enclos et elle donna tous les détails de son duel avec Miaou-Li...

Lorsqu'il ouvrit enfin l'œil droit, elle décida de l'envoyer rejoindre ses sinistres amis sous le filet. Ils avaient sûrement beaucoup de choses à se dire.

– Belle pêche ! constata Charlot, qui s'y connaissait en la matière.

Tout cela dura fort tard et la nuit était déjà bien avancée lorsqu'ils décidèrent de se séparer.

Après une dernière ovation, Superchat prononça sa formule magique et s'envola dans le ciel noir.

La tête en l'air, les chats regardèrent sa trace lumineuse disparaître dans l'obscurité. Maminette fit un dernier signe de la patte.

Un peu tristes, tout à fait rassurés et un peu

fatigués tout de même, ils rentrèrent chez eux.

Charlot resta seul dans le noir.

Tout surexcité par sa journée mouvementée, il profita un moment du silence, respira un grand coup, s'arrondit la queue en point d'interrogation, frissonna doucement dans le froid et dit à voix basse :

– Je n'ai pas sommeil... Je vais aller raconter tout ce qui s'est passé à ce ramolli de Matougros. Comme je le connais, il a dû avoir la flemme de sortir.

TABLE DES MATIÈRES

1. Hold-up chez Charlot 5

2. Du travail pour Superchat 16

3. Réunion générale. 25

4. Mission nocture 32

5. Conseil de guerre 43

6. Menace et filature 55

7. Préparatifs. 70

8. Dans la gueule du loup 76

9. Inquiétude chez Charlot 83

10. Détourné. 91

11. La grande bagarre 99

12. Coup double. 114

Paul Fournel est né il n'y a pas si longtemps que ça à Saint-Étienne. Fils de libraire, il est lui-même éditeur.

Il est membre de l'Ouvroir de Littérature Potentielle (Oulipo). Il a commencé très tôt à écrire.

Pour les adultes :
- *Les Petites filles respirent le même air que nous* (Gallimard).
- *Les grosses rêveuses* (Gallimard).
- *Un Rocker de trop* (Balland).

Pour les enfants :
- *Histoire très douce de Timothée le rêveur* (Livre de Poche/Hachette).

Aubin Imprimeur Ligugé-Poitiers
Achevé d'imprimer en mars 1987
N° d'éditeur I H1268 / N° d'impression L 22969
Dépôt légal, mars 1987
Imprimé en France
ISBN 2-09-283190-9
Loi du 16 juillet 1949 sur les publications destinées à la jeunesse